Acair

Facail agus Dealbhan

Heather Amery
Dealbhan le Stephen Cartwright

Deilbhte le Mike Olley agus Jan McCafferty
A' Ghàidhlig le Acair

 Tha tunnag bheag bhuidhe anns gach dealbh - lorg i!

An rùm-suidhe

Dadaidh

Mamaidh

balach

2

nighean   leanabh   cù   cat

3

D' aodach

brògan

drathais

geansaidh

bheasta briogais t-siort stocainnean

5

An Cidsin

aran

bainne

uighean

6

ubhal orainsear banana

A' sgioblachadh

bòrd

sèithear

truinnsear

8

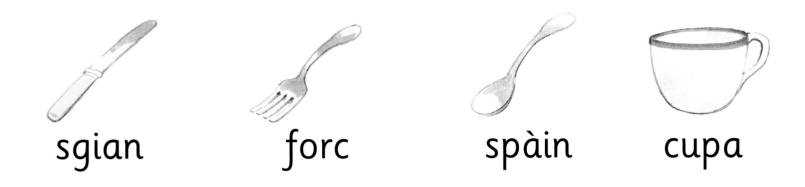

sgian   forc   spàin   cupa

9

A' cluich

each

caora

bò

cearc

muc

trèana

breigichean

11

A' dol a chèilidh

 Seanmhair

 Seanair

 slioparan

12

còta

dreasa

ad

A' phàirce

 craobh

 sìthean

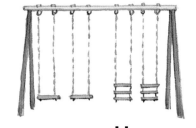 greallagan

 bàlla

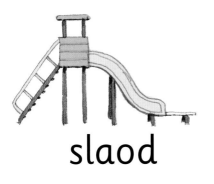   

slaod   bòtannan   isean   bàta

An t-sràid

càr

baidhsagal

plèana

 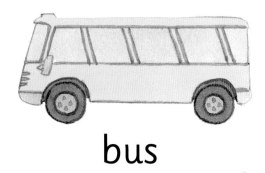 

làraidh   bus   taigh

Pàrtaidh

bailiùn

cèic

gleoc

reòiteag   iasg   briosgaidean   suiteis

A' snàmh

gàirdean

làmh

cas

casan   òrdagan   ceann   màs

A' dèanamh deiseil

beul

sùilean

cluasan

 sròn

 falt

 cìr

 bruis

Anns a' bhùth

dearg   gorm   uaine

buidhe   pinc   geal   dubh

Anns an amar

siabann

searbhadair

toileat

26

amar

mionach

tunnag

Àm cadail

leabaidh

lampa

uinneag

doras   leabhar   doile   teadaidh

29

Maidsig na facail ri na dealbhan

ad
bainne
bàlla
banana
bheasta
bò
bòrd
bòtannan
càr
cat
cèic
cù
doile
forc
geansaidh

gleoc

iasg

lampa

leabhar

muc

orainsear

reòiteag

sgian

stocainnean

teadaidh

trèana

tunnag

ubhal

ugh

uinneag

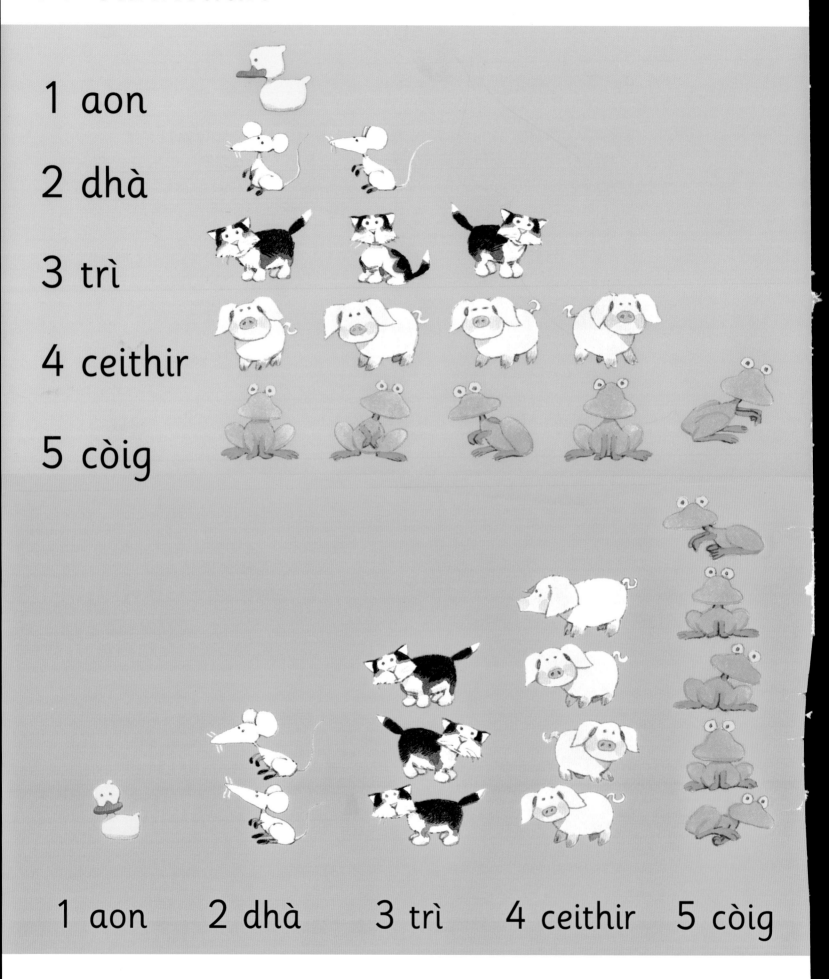

1 aon

2 dhà

3 trì

4 ceithir

5 còig

1 aon 2 dhà 3 trì 4 ceithir 5 còig

A' chiad fhoillseachadh sa Bheurla Usborne Publishing, Lunnainn.   www.usborne.com

A' Ghàidhlig le Acair   •   © na Gàidhlig Acair   •   A' chiad fhoillseachadh sa Ghàidhlig Acair 2003   •   An dàrna foillseachadh sa Ghàidhlig Acair 2008
Na còraichean uile glèidhte. Chan fhaodar pàirt sam bith dhen leabhar seo ath-riochdachadh an cruth sam bith, a stòradh ann an siostam a dh'fhaodar fhaighinn air ais,
no a chur a-mach air dhòigh sam bith, eileactronaigeach, meacanaigeach, samhlachail, clàraichte no ann am modh sam bith eile gun chead ro-làimh bhon fhoillsichear.

Chuidich Comhairle nan Leabhraichean am foillsichear le cosgaisean an leabhair seo. Tha Acair a' faighinn taic bho Bhòrd na Gàidhlig.

LAGE/ISBN 0861526910 / 9780861526918   www.acairbooks.com   •   info@acair.com